It grutte poepkonkoers
Oarspronklike titel: Het Grote Poepconcours
Skriuwer: Guido van Genechten
© 2012 Clavis Uitgeverij, Hasselt – Amsterdam – New York
Fryske útjefte: © 2012 Afûk, Postbus 53, 8900 AB Ljouwert
Oersetting: Carolien Hoekstra
NUR 273; ISBN 978 90 6273 914 1

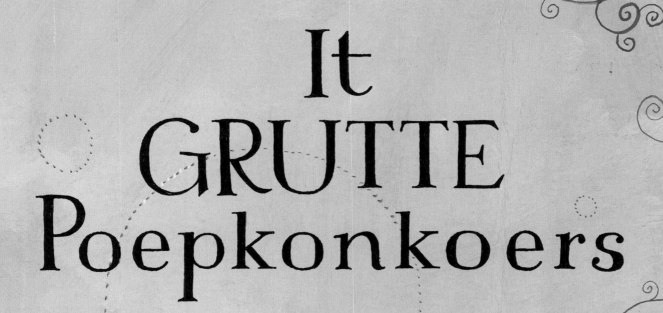

It GRUTTE Poepkonkoers

Ferslach fan de bûtengewoan keunstsinnige edysje fan 2012.*
Nei wierheid opskreaun en fan pakkende bylden foarsjoen
troch jo ferslachjouwer op it plak fan hanneling,

Guido van Genechten.

* Net foar gefoelige rookorganen.

afûk

Elk jier floepte it der by Syn Majesteit wol in kear út.
Samar ynienen rôp Kening Keutel de Earste dan midden
yn in keninklik petear: 'Kak! Kakkerdekak! Poep, jaháá, POEP!'
'Asjeblyftankewol, Sire', bûgde de keninklike betsjinner.
Hy wist dan wol hoe let at it wie. 'Ik lit fuortynienen, en wol no daliks,
de minister fan Binnenlânske Poepoangelegenheden foar jo komme!'

'Reitsje dizze stêf ris oan', dage Kening Keutel de minister út. O nee, tocht de Keninginne, dêr geane we wer... De minister fan Binnenlânske Poepoangelegenheden tikke foarsichtich tsjin de stêf. 'Prrróóóót!' Dêr liet de Kening ien goed knalle. 'Ekskusearje, ehm, asjeblyftankewol', bûgde de keninklike betsjinner hast dwerstroch. 'Hjirmei ferklearje ik it jierlikse Poepkonkoers foar iepene!', spruts Kening Keutel plechtich. 'Prrrot!' De minister fan Binnenlânske Poepoangelegenheden wist wat him te dwaan stie.

GRUT
Poepkonkoers

Bêste lânstju,
oaremoarn snein
wurde jim de middeis
allegear op it kastiel
útnoege mei jim prachtich
**moaie
poepprodukten.**

Tink dit jier foaral goed nei
oer de presintaasje!
Wy ferwachtsje wiere
KAKKEUNSTWURKJES fan jim!
Kening Keutel de Earste
Freed 23 maart 2012

Oeral yn it lân liet hy dizze affysje ophingje.

Twa dagen letter stiene de dielnimmers geduldich
yn in lange rige foar it kastiel fan Kening Keutel te wachtsjen.
De minister fan Binnenlânske Poepoangelegenheden
naam it wurd en rôp eltsenien in hertlik wolkom ta.
Dêrnei lies hy it reglemint foar. Makke dúdlik dat de namme fan
de winner foar ivich yn de grutte tinkstien beitele wurde soe.
En wiisde derop dat Kening Keutel fansels it ienige sjuerylid wie.
As lêste spruts hy de bemoedigjende wurden: 'Dat de bêste winne mei!'
Doe joech Kening Keutel it startsein.

Juffer Ko kaam as earste nei foaren.
Se hie har brúngriene kowe-aai kreas yn in stevige taartdoaze
deponeard, krekt oft dy sa fan de waarme bakker kaam!
'Net sa min,' mompele Kening Keutel goedkarrend, 'hielendal net sa min.'

De Geitebroerkes hiene mei harren glânzjende swarte keutels
wiffe, mar bysûnder keunstige tuorkes makke.
Mei in soad gefoel foar lykwicht én drama paradearden se
foar in sichtber tefreden Kening Keutel lâns.

Ik hear Knyn hie in soarte fan toer makke. Mei syn keutels en wat houten stokjes hie hy in knappe konstruksje ynelkoar set. 'In hiel sterke kandidaat', flústere Kening Keutel yn it ear fan syn minister. Dêr koe Skyldpod, mei syn hurde skyldpoddedrol yn in midsieusk izeren potsje, net tsjinop.

Fjouwer sjarmante Mûskes droegen mei syn allen in grut stik nepbôle.
Dat hienen se út in stik pypskûm knabbele en dêrnei sa beskildere
dat it der krekt echt útseach. Harren fine mûzestrontsjes hienen se as
hagelslach oer it sabeare stik bôle struid. Flak foar har treau
Oaljefantsje in enoarme drol foarút op in roltafel.
'Hola, wat in jûkel,' prize Kening Keutel fol ûntsach.
Sels dêrboppe koe hy de kolossale drol rûke.
'Dy is fan myn heity,' sei Oaljefantsje grutsk.

Hûn wist dat Kening Keutel wol foar in grapke te finen wie.
Dêrom hie hy syn wurkstik de titel DROLTSJES OP ROLTSJES meijûn.
'Haha,' lake Kening Keutel smaaklik, 'droltsjes op roltsjes, dy is goed!'

ynder en Barchje, dy't in bytsje gek op inoar wiene, hiene tegearre in wurkstik makke. It resultaat hjitte JOEPY DE POEPY! Mar ast, lykas Kening Keutel, net sa dichterlik oanlein wiest, seachst gewoan trije hynstefigen op in laach bargekak.

As lêste hie Kobbe der in wiere poepshow fan makke.
Earst krige Kening Keutel in elegant read paraplútsje.
Der waard him freonlik frege om dat boppe syn holle iepen te tearen.
Dêrnei pletste Kobbe it kakskermke hielendal fol!
Gelokkich foar Kobbe bleau Kening Keutel hielendal skjin.
'Goh, in sterk staaltsje aksjekakken!' rôp de Kening út 'e skroeven.

Rekt doe't Kening Keutel de winner bekend meitsje woe,
kaam út it gers oan de foet fan it kastiel in lyts gjalpke omheech.
Of better, in skril piipjend lûdsje, dat ûngefear sa klonk: 'Iiiii ...'
'Hé,' rôp ien fan de Mûskes, 'frou Mychhimmel wol ek meidwaan!'
'Bring de kandidate mar nei boppen,' kommandearde de Kening syn betsjinner.

De Mychhimmel joech Kening Keutel in pyplyts stikje papier. 'Dat ha ik spesjaal foar Jo Heechheid folpoept,' sei de Mychhimmel hiel grutsk. 'No en?', bromde Kening Keutel teloarsteld. Mar doe't de minister fan Binnenlânske Poepoangelegenheden der in fergrutglês by helle, koe Kening Keutel lêze wat der stie: LANG LIBJE KENING KEUTEL.

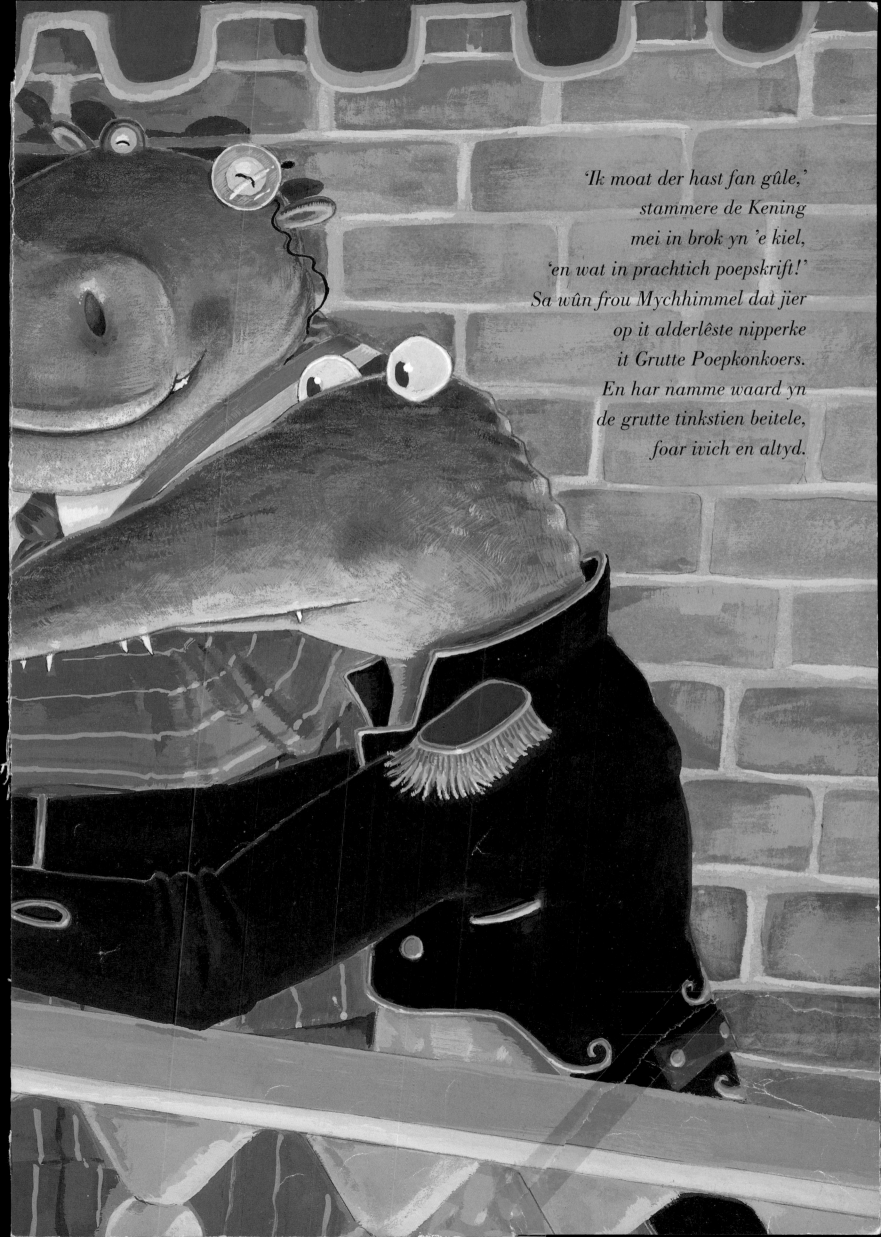

'Ik moat der hast fan gûle,'
stammere de Kening
mei in brok yn 'e kiel,
'en wat in prachtich poepskrift!'
Sa wûn frou Mychhimmel dat jier
op it alderlêste nipperke
it Grutte Poepkonkoers.
En har namme waard yn
de grutte tinkstien beitele,
foar ivich en altyd.

VICT

1995	Hear Sjiraffe
1996	Noashoarn
1997	Omke Ule
1998	Frou Iikhoarn
1999	Kening Keutel
2000	Juffer Pelikaan
2001	Jongehear Aap
2002	Frou Drommedaris
2003	Lytse Gazelle
2004	Hear Kamiel
2005	Waskbearke
2006	Juffer Akster